Vijfde druk 2005

NUR 273 / ISBN 90 258 4575 4

Max Velthuijs

De eend en de vos

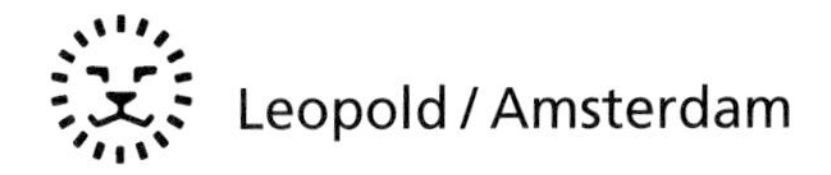

Leopold / Amsterdam

Een eend ging eens een eindje wandelen.
Het was lekker weer
en ze voelde zich blij en zorgeloos.

Bij de rand van het bos gekomen zag ze plotseling de vos, die tegen een boom geleund zat.
'Ha, dat treft goed,' zei de vos.
'Ik heb reuze honger en een lekker eendje zou mij best smaken.'

'Lieve Vos,' zei de eend, 'wil je mij opeten?
Jammer dat ik mij vandaag niet lekker voel.
Ik heb vast iets verkeerds gegeten.
Ik geloof dat ik moet overgeven.'

'Bah,' riep de vos,
'een zieke eend lust ik niet.
Kruip maar vroeg in bed en zorg dat je gauw
weer beter wordt.'

Opgelucht liep de eend naar huis.
Onderweg plukte ze een bosje bloemen
om haar ontsnapping te vieren.

Maar toen ze thuis gezellig een kopje thee
zat te drinken, dacht ze: Wat moet ik zeggen
als ik de vos weer tegenkom?

De volgende dag ging de vos naar het huisje van
de eend om eens te kijken of ze al beter was.

'Hallo, lieve vriendin,' zei hij huichelachtig, 'hoe gaat het nu met je?'
'Een stuk beter, vos,' zei ze, 'maar helaas schikt het me vandaag niet zo goed. Ik moet op bezoek bij mijn tante die jarig is.'
'Zooo, heb je ook nog een tante,' zei de slimme vos. 'Hoe ziet ze eruit?'

‘Mijn tante is gezellig dik.’
‘Dan ga ik met je mee.’
En stiekem dacht hij:
Ik eet lekker eerst die tante op.
Samen gingen ze op weg.

Toen ze bij de rivier kwamen, sprong de eend plotseling in het water en zwom naar de overkant.
'Eendje, wat doe je nou?' riep de vos wanhopig. 'Je weet toch dat ik niet kan zwemmen!'

'Kun je niet zwemmen?' riep de eend.
'Wat jammer, dan moet ik alleen naar mijn tante.'
En vrolijk huppelde ze weg.

De dag daarop moest de eend weer een nieuwe list bedenken.
Ze haalde een schep uit de schuur en...

...begon een kuil te graven.
Dieper en dieper groef ze, en toen de kuil diep genoeg was,
legde ze er dunne takjes overheen.

Daaroverheen strooide ze bladeren,
en tot slot een laagje aarde.
Zo kon niemand zien wat een mooie valkuil ze had gemaakt.

's Morgens vroeg werd de vos wakker en rekte zich uit.
Tjonge, wat heb ik een honger, dacht hij. Vandaag eet ik
de eend op. Deze keer zal ze er niet aan ontkomen.
En haastig ging hij op weg.

'Eendje,' riep de vos al van verre,
'nu moet ik je toch echt opeten,
ik rammel van de honger.'

'Ja Vos, lieve vriend, ik weet het. Ik sta al op je te wachten. Ik hoop dat het je zal smaken.' Ongeduldig rende de vos naar voren en...

...plotseling zakte de grond onder zijn voeten weg.
'Help, haal me er onmiddelijk uit!' brulde hij woedend.

Maar de eend liep tevreden naar huis.
'S Nachts hoorde ze de vos luid jammeren.

De volgende dag ging de eend terug en keek in de kuil.
'Lieve Eend,' smeekte de vos huilend, 'haal me eruit. Ik beloof je dat ik nooit meer eenden zal opeten.'
'Als je dat belooft, zal ik je helpen,' zei de eend.

En ze haalde thuis een stevig touw en trok daarmee de vos omhoog.
Wat was die blij!
Om de eerste honger van de vos te stillen had de slimme eend nog wat te eten meegebracht.

'Eendje,' zei hij voldaan, toen hij zijn buikje rond had gegeten, 'ik hou van je. Wil je met me trouwen?'
'Nee,' zei ze, 'ik trouw niet met je.
Vossen houden te veel van eenden.
Maar vrienden kunnen we wel zijn.'